中華經典碑帖彩色放大本 五七

趙孟頫行書千字文

中華書局

行書千文

梁員外散騎侍郎周興嗣次韻／天地玄黃，宇宙洪荒。日月／盈昃，辰宿列張。寒來暑往，／

秋收冬藏閏餘成歲律呂

調陽雲騰致雨露結爲霜

金生麗水玉出崑岡劍號

巨闕珠稱夜光果珎李柰

菜重芥薑海鹹河淡鱗潛

秋收冬藏。閏餘成歲，律呂／調陽。雲騰致雨，露結爲霜。／金生麗水，玉出崑岡。劍號／巨闕，珠稱夜光。果珎李柰，／菜重芥薑。海鹹河淡，鱗潛／

羽翔龍師火帝鳥官人皇
始制文字乃服衣裳推位
讓國有虞陶唐弔民伐罪
周發殷湯坐朝問道垂拱
平章愛育黎首臣伏戎羌

羽翔。龍師火帝，鳥官人皇。／始制文字，乃服衣裳。推位／讓國，有虞陶唐。弔民伐罪，／周發殷湯。坐朝問道，垂拱／平章。愛育黎首，臣伏戎羌。／

遐迩壹體率賓歸王鳴鳳
在樹白駒食場化被草木
賴及萬方蓋此身髮四大
五常恭惟鞠養豈敢毀傷
女慕貞絜男效才良知過

遐迩壹體，率賓歸王。鳴鳳／在樹，白駒食場。化被草木，／賴及萬方。蓋此身髮，四大／五常。恭惟鞠養，豈敢毀傷。／女慕貞潔，男效才良。知過／

必改得能莫忘罔談彼短
靡恃己長信使可覆器欲
難量墨悲絲染詩讚羔羊
景行維賢剋念作聖德建
名立形端表正空谷傳聲

必改，得能莫忘。罔談彼短，靡恃己長。信使可覆，器欲難量。墨悲絲染，詩讚羔羊。景行維賢，剋念作聖。德建名立，形端表正。空谷傳聲，

虛堂習聽禍因惡積福緣
善慶尺璧非寶寸陰是競
資父事君曰嚴與敬孝當
竭力忠則盡命臨深履薄
夙興温凊似蘭斯馨如松

虛堂習聽。禍因惡積，福緣／善慶。尺璧非寶，寸陰是競。／資父事君，曰嚴與敬。孝當／竭力，忠則盡命。臨深履薄，／夙興温凊。似蘭斯馨，如松／

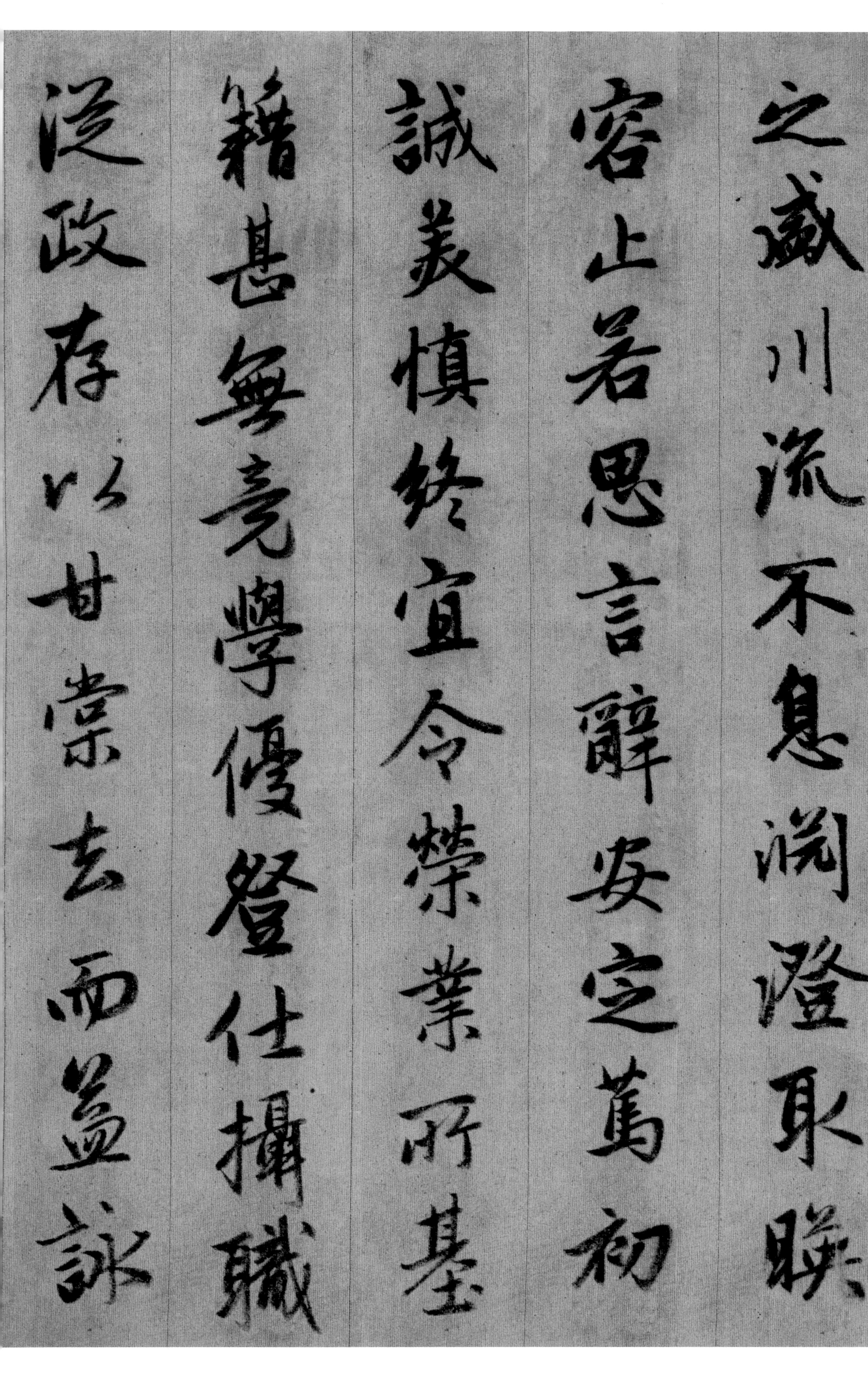

之盛。川流不息，淵澄取暎。/容止若思，言辭安定。篤初/誠美，慎終宜令。榮業所基，/籍甚無竟。學優登仕，攝職/從政。存以甘棠，去而益詠。/

樂殊貴賤禮別尊卑上和
下睦夫唱婦隨外受傅訓
入奉母儀諸姑伯叔猶子
比兒孔懷兄弟同氣連枝
交友投分切磨箴規仁慈

樂殊貴賤，禮別尊卑。上和／下睦，夫唱婦隨。外受傅訓，／入奉母儀。諸姑伯叔，猶子／比兒。孔懷兄弟，同氣連枝。／交友投分，切磨箴規。仁慈／

隱惻，造次弗離。節義廉退，顛沛匪虧。性靜情逸，心動神疲。守真志滿，逐物意移。堅持雅操，好爵自縻。都邑華夏，東西二京。背芒面洛，浮渭據涇。宮殿磐鬱，樓觀／飛驚。圖寫禽獸，畫綵仙靈。／丙舍傍啓，甲帳對楹。肆筵／設席，鼓瑟吹笙。陞階納陛，／弁轉疑星。右通廣内，左達／

承明。既集墳典，亦聚群英。／杜稿鍾隸，漆書壁經。府羅／將相，路俠槐卿。户封八縣，／家給千兵。高冠陪輦，驅轂／振纓。世禄侈富，車駕肥輕。／

策功茂實勒碑刻銘磻溪
伊尹佐時阿衡奄宅曲阜
微旦孰營桓公匡合濟弱
扶傾綺迴漢惠説感武丁
俊乂密勿多士寔寧晋楚

榮攻茂實，勒碑刻銘。磻溪\伊尹，佐時阿衡。奄宅曲阜，\微旦孰營。桓公匡合，濟弱\扶傾。綺迴漢惠，説感武丁。\俊乂密勿，多士寔寧。晋楚\

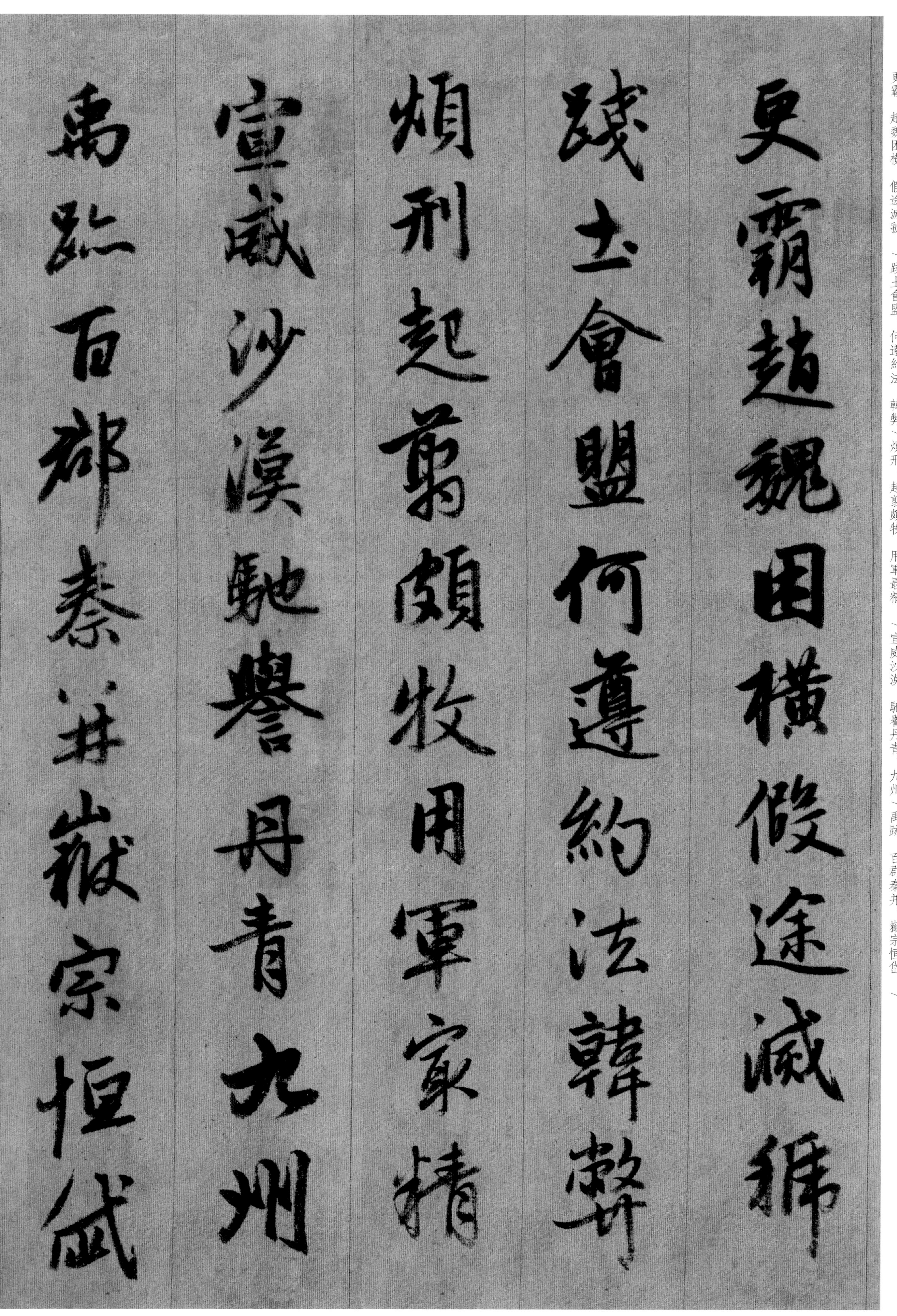

更霸，趙魏困横。假途滅虢，/踐土會盟。何遵約法，韓弊/煩刑。起翦頗牧，用軍最精。/宣威沙漠，馳譽丹青。九州/禹跡，百郡秦并。嶽宗恒岱，/

禪主云亭鴈門紫塞雞田
赤城昆池碣石鉅野洞庭
曠遠緜邈巖岫杳冥治本
於農務茲稼穡俶載南畝
我藝黍稷稅熟貢新勸賞

禪主云亭。雁門紫塞，雞田／赤城。昆池碣石，鉅野洞庭。／曠遠綿邈，巖岫杳冥。治本／於農，務茲稼穡。俶載南畝，／我藝黍稷。稅熟貢新，勸賞／

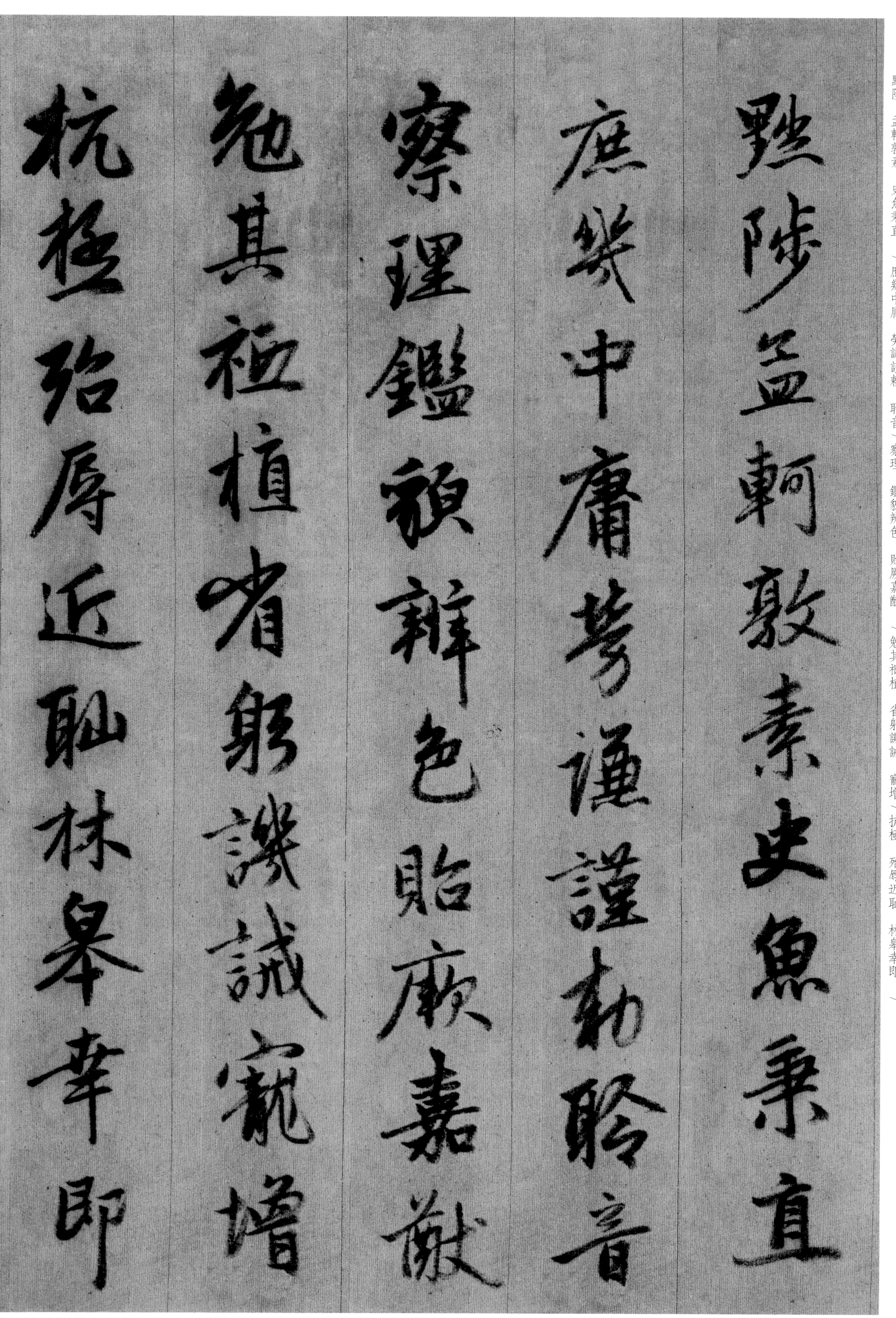

黜陟。孟軻敦素，史魚秉直。/庶幾中庸，勞謙謹勅。聆音/察理，鑑貌辨色。貽厥嘉猷，/勉其祗植。省躬譏誡，寵增/抗極。殆辱近恥，林皋幸即。/

兩疏見機解組誰逼索居

閑處沉默寂寥求古尋論

散慮逍遥欣奏累遣慼謝

歡招渠荷的歷園莽抽條

枇杷晚翠梧桐早彫陳根

兩疏見機，解組誰逼。索居／閑處，沉默寂寥。求古尋論，／散慮逍遥。欣奏累遣，慼謝／歡招。渠荷的歷，園莽抽條。／枇杷晚翠，梧桐早彫。陳根／

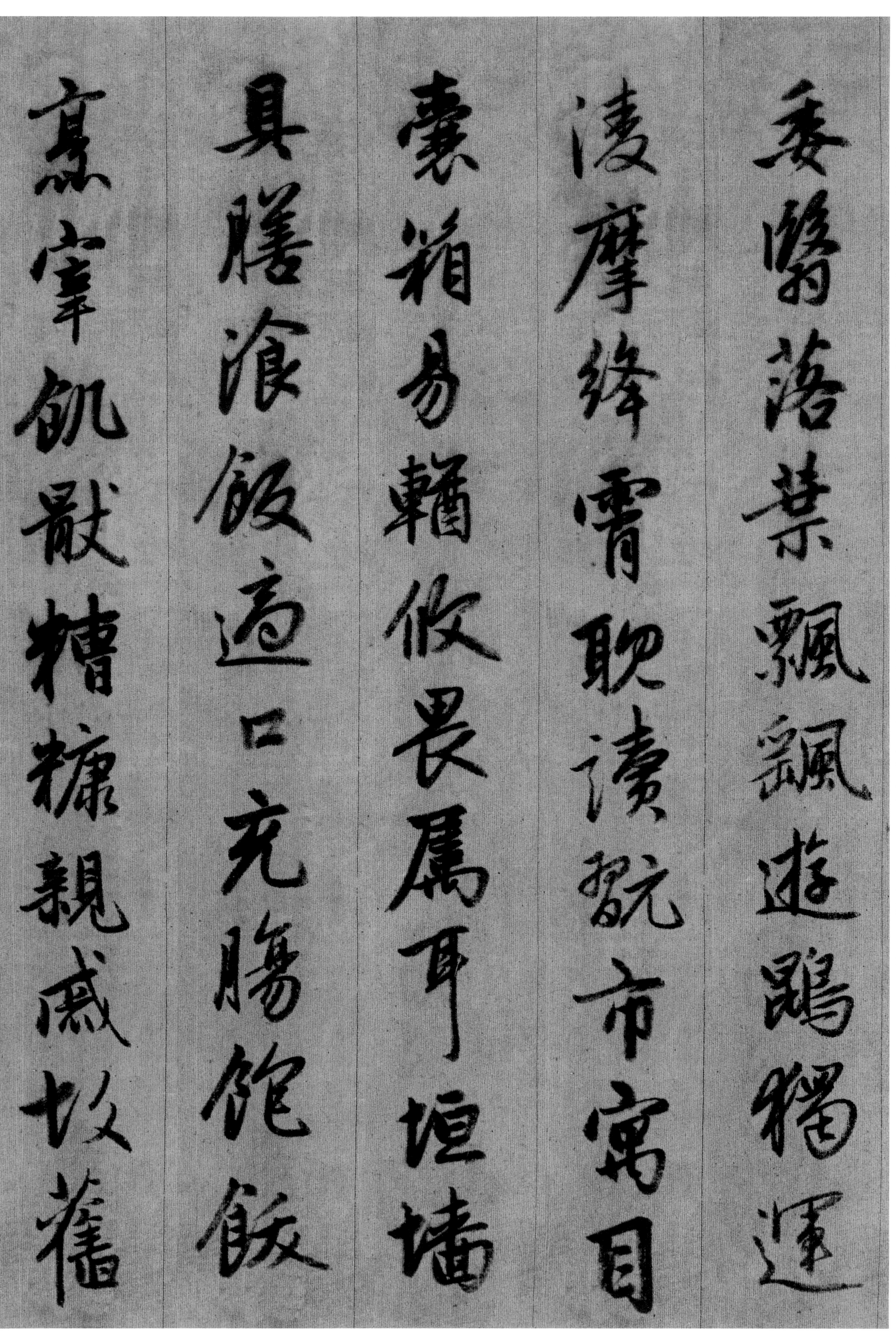

委翳，落葉飄飄。游鵾獨運，／凌摩絳霄。耽讀翫市，寓目／囊箱。易輶攸畏，屬耳垣墻。／具膳飡飯，適口充腸。飽飫／烹宰，飢厭糟糠。親戚故舊，／

老少異粮。妾御績紡，侍巾╱帷房。紈扇員潔，銀燭煒煌。╱晝眠夕寐，藍筍象床。絃歌╱酒讌，接杯舉觴。矯手頓足，╱悅豫且康。嫡後嗣續，祭祀╱

蒸嘗。稽顙再拜，悚懼恐惶。/牋牒簡要，顧答審詳。骸垢/想浴，執熱願涼。驢騾犢特，/駭躍超驤。誅斬賊盜，捕獲/叛亡。布射遼丸，嵇琴阮嘯。/

恬筆倫紙，鈞巧任釣。釋紛/利俗，並皆佳妙。毛施淑姿，/工嚬妍咲。年矢每催，羲暉/朗曜。旋璣懸斡，晦魄環照。/指薪脩祜，永綏吉劭。矩步/

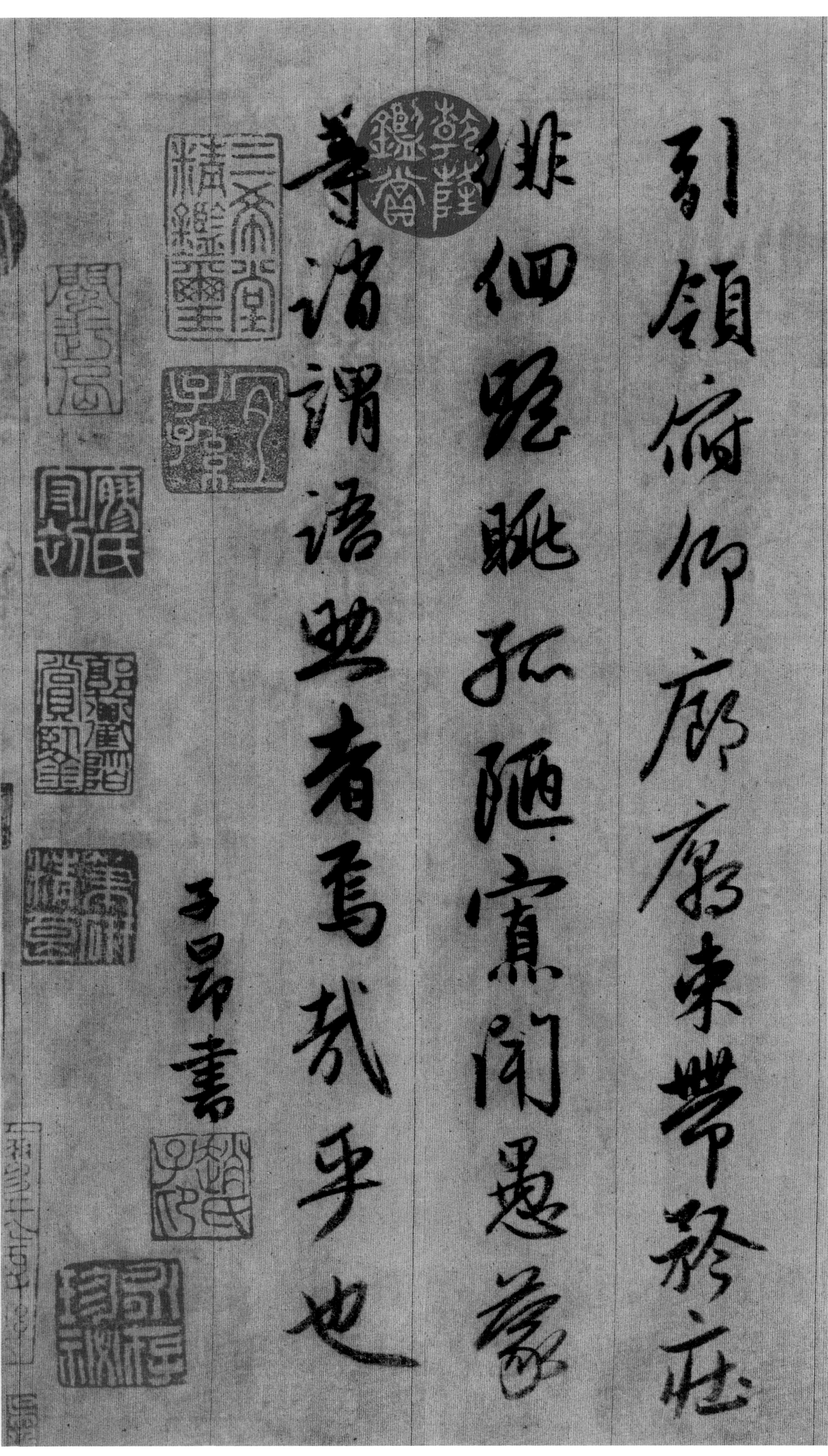

引領，俯仰廊廟。束帶矜莊，／徘徊瞻眺。孤陋寡聞，愚蒙／等誚。謂語助者，焉哉乎也。／子昂書。